¡CUIDADO!

¡Palabra terrible!

Edith Schreiber-Wicke y Carola Holland

01-07
9:00

Título original en alemán:
Atchung! Bissiges Wort!

Edición original de Thienemann Verlag (Thienemann Verlag GmbH), Sttugart / Wien.

Impreso en Graficas de la Sabana Ltda. "GRAFICSA"
Impreso en Colombia - Printed in Colombia
Marzo, 2006

Traducción de Natalia García
Edición de Maria Villa
Diagramación y armada de Catalina Orjuela Laverde

CC 10704
ISBN 958-04-8314-0

¡CUIDADO!

¡Palabra terrible!

Edith Schreiber-Wicke y Carola Holland
Traducción de Natalia García

GRUPO EDITORIAL norma

http://www.norma.com

Bogotá, Barcelona, Buenos Aires, Caracas, Guatemala, Lima, México, Miami, Panamá, Quito, San José, San Juan, San Salvador, Santiago de Chile, Santo Domingo.

Laura conocía bien a Leo. Para ser precisos, Leo era el mejor amigo de Laura.

Pero, en este día, Laura se había raspado la rodilla. Y había volcado un vaso de jugo de naranja. Y no le habían dado el chocolate que quería en el supermercado.

Y entonces Leo aparece y gana cinco veces seguidas jugando memoria.

Así que Laura le dijo:

–¡Eres un 🐋!

Incluso mientras Laura le decía "¡Eres un !" a Leo, se sintió apenada. Realmente no era eso lo que pensaba. Hubiera querido eliminar todo el asunto del . Pero lo dicho, dicho está.

Leo realmente no sabía lo que era un [pictograma]. Pero con seguridad no era algo simpático, al menos eso lo tenía claro.

Entonces agarró a Fernando, su oso favorito, y se fue a casa.

No quedaba muy lejos. Leo vivía justo al lado.

La mamá de Leo se sorprendió mucho. Leo normalmente permanecía donde Laura mucho más tiempo.

–¿Y bien? –le preguntó–. ¿Qué sucede?

–Laura dijo que yo era un
–explicó Leo.

–Eso no es muy amable por parte de Laura –dijo su mamá–. Con seguridad no era su intención decirte algo así. Lo mejor es que no pienses más al respecto.

Pero no era así de fácil.

Leo se fue a su cuarto y trató de no pensar en el . Se esforzó mucho. Pero no lo logró.

El estaba sentado en su cama haciéndole muecas burlonas. Cuando Leo volteó la mirada, estaba sentado entre sus osos. Y luego tras su mochila del colegio.

El día siguiente, apareció un paquete de chilcles sobre el pupitre de Leo. Leo miró en dirección a Laura, y ella lo miró de vuelta como esperando una respuesta. Leo estuvo a punto de tomar los chicles, pero entonces vio al : estaba sentado tras el tablero haciéndole muecas.

Muy molesto, Leo apartó su vista del chicle.

1+2+5 = 6
2+3-2 = 5
4+8-5 = 2
2+3-1 = 1

Laura esperaba que Leo viniera a jugar con ella a la hora de siempre. Pero el timbre no sonó. No sonó en toda la tarde.

A Laura le hubiera gustado jugar memoria. Incluso le hubiera gustado perder. Pero uno no puede jugar memoria solo. Ni siquiera puede perder solo.

También Leo estaba sentado a solas en su habitación. Primero hizo sus tareas. Después escuchó sus CDs favoritos. Luego estuvo pensando si debería ir adonde Laura y simplemente preguntarle por qué lo había llamado un . Después de todo, Laura era su mejor amiga.

–¡Mejor amiga! –dijo el , irónico–. ¡No me hagas reír! Las mejores amigas no te dicen .

"Eso es cierto", pensó Leo.

"Podría sencillamente llamar a Leo y decirle que lo siento", pensó Laura, "después de todo, es mi mejor amigo".

–*Era* tu mejor amigo –dijo una desagradable voz–. ¿Acaso crees que alguien sigue siendo tu amigo después de decirle que es un ?

"Eso es cierto", pensó Laura.

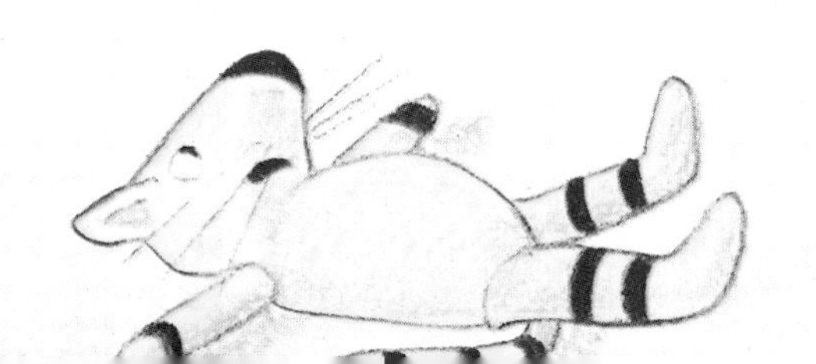

Leo hojeaba su libro favorito. Laura se lo había regalado el día de su cumpleaños.

Leo miró el dibujo que colgaba de la pared. Cuando estuvo enfermo, Laura había dibujado un oso para él. Era un oso muy bonito.

–Voy adonde Laura –le dijo a su mamá.

El se atravesó en su camino:

–¡Ni lo pienses! –le dijo firmemente.

–¡Fuera de mi camino! –le contestó Leo–. No me puedes prohibir nada.

Abrió la puerta decididamente.

Allí estaba Laura, de pie frente a él:

–Quería decirte tan sólo que… –empezó a hablar.

–No hay problema –la interrumpió Leo–. Ya todo está bien.

Disimuladamente miró alrededor buscando el .

Pero había desaparecido.